Chile

Rehue
Escala ceremonial Mapuche.

Rehue
Mapuche ritual ladder.

Editorial Kactus
Chile

Pacificación de la Araucanía, iniciada en 1861 por el Presidente José Joaquín Pérez.
Pacification of the Araucanians initiated in 1861 by President Jose Joaquin Perez.

El Congreso Nacional en Valparaíso, sede del Senado y de la Cámara de Diputados.
The National Congress Building, Valparaiso, seat of the Senate and the Chamber of Deputies.

Hombre Selk'nam, habitante de Tierra del Fuego.

Selk'nam, former inhabitant of Tierra del Fuego.

L uego de largos períodos de nomadismo, desde que los primeros hombres cazadores y pescadores comenzaron a poblar el territorio chileno, hace unos 12.000 años, se fueron instalando pueblos sedentarios poseedores de una cultura apreciada en sus construcciones, idioma y textiles. A la llegada de los españoles, el territorio estaba habitado por grupos con distintos grados de evolución cultural, social y económica, destacando entre ellos pueblos súbditos del Imperio Inca en el norte, mapuches en el centro-sur, huilliches en el sur y alacalufes, selk'nam, yaganes y onas en la zona austral.

En 1536, Diego de Almagro descubrió para España el territorio y en 1541, Pedro de Valdivia lo conquistó definitivamente, fundando las ciudades de Santiago, La Serena, Concepción, La Imperial, Villarrica y Angol. La incorporación de Chile a la Corona española corresponde a una etapa de consolidación y formación. Ahí se crean las bases de la sociedad y surge el concepto de Chile como parte de la civilización occidental. Se desarrollan las instituciones que regulan el funcionamiento del Estado, nace un nuevo grupo humano, el mestizo, mezcla de indio y español, y aparece el sentimiento nacional del criollo, español nacido en Chile. Se da inicio a un sistema económico basado en la minería, agricultura y ganadería, apoyado por un tráfico comercial regular entre Valparaíso y El Callao, principal puerto del Perú, y desde Santiago a Buenos Aires, Argentina, por los pasos cordilleranos de los Andes. La Guerra de Arauco, entre mapuches y españoles, las devastaciones de piratas y destrucciones causadas por terremotos durante los siglos 16, 17 y 18, hicieron que el Chile colonial viviera una situación diferente a la del resto de la América española, modelando su carácter y personalidad.

H istorians believe that the first inhabitants of the western seaboard of South America were nomadic tribes, hunters and fishermen, some 12,000 years ago. This territory, which is now the Republic of Chile was home for a people with a high degree of development which has been deduced from archaeological discoveries relating to their buildings, use of language and knowledge of textiles. By the time the Spanish colonizers arrived, the country was inhabited by ethnic groups with different levels of cultural, social and economic development, notably the Indians of the Inca Empire in the north, Mapuches in the southern and central regions, the Huilliches in the south and the Alacalufes, Selk'nam, Yaganes and Onas in the deep south and Magallanes. In 1536, Diego de Almagro discovered Chile in the name of Spain and in 1541, Pedro de Valdivia established the first permanent settlement and founded the cities of Santiago, La Serena, Concepcion, La Imperial, Villarrica and Angol.

The colonization of Chile coincided with a period of urban development, the bases of a civilized society were created and the concept of Chile as part of western civilization was born. The infrastructure needed for state administration was put into place. A new society appeared, made up of mestizos, people of mixed Indian and Spanish blood, and the "criollos", people of Spanish blood in Chile. An economic system based on mining, agriculture and stockbreeding started up, supported by regular trade between Valparaiso and El Callao, Peru's major port, and between Santiago and Buenos Aires, Argentina, via the Andes mountain passes. The Arauco war between the Spanish and the Mapuches, frequent raids by pirates and the destruction caused by earthquakes in the 16th, 17th and 18th centuries made Chile's destiny, in Colonial times, very different from that of the rest of Spanish America and moulded its character and personality.

Pedro de Valdivia, el conquistador de Chile.

Pedro de Valdivia, conqueror of Chile.

Petroglifos de Taira en el Desierto de Atacama, entre Lasana y Ollagüe.
Petroglyphs of Taira in the Atacama Desert between Lasana and Ollagüe.

Geoglifos de Pintados cerca de Pozo Almonte.
Geoglyphs of Pintados near to Pozo Almonte.

Como consecuencia de la invasión napoleónica a España y el cautiverio de Fernando VII, se forma la Primera Junta de Gobierno, el 18 de septiembre de 1810, dándose los primeros pasos para alcanzar la autonomía total, la que se logra en 1818, con la Declaración de Independencia y el triunfo de Maipú, batalla con la que termina la guerra entre los leales al rey de España y los patriotas. Hasta 1830, Chile vive su etapa de formación política, período en el que se prueban fórmulas de gobierno de diversa índole. Con la labor del estadista Diego Portales comienza la época republicana.

As a result of the Napoleonic invasion of Spain and the imprisonment of Ferdinand VII, Chile formed the First Government Junta on 18th September, 1810; thus, the first steps towards complete autonomy were taken. This became a reality in 1818, with the Declaration of Independence and following the triumph of Maipu, the battle which put an end to the war between the followers of the Spanish King and the Chilean patriots.

Until 1830, Chile went through a phase of political consolidation, and various types of government were tried out. At the instigation of the statesman, Diego Portales, the Republican era began.

Petroglifos del Valle del Encanto, cerca de Ovalle.
Petroglyphs in Encanto Valley, near to Ovalle.

Arte rupestre de Loreto a 25 km al norte de caleta Paposo.
Rupestrian art in Loreto, 25 kilometres north of Paposo Cove.

Fuerte Bulnes fundado en 1843 para afianzar la soberanía de Chile sobre el Estrecho de Magallanes.

Fort Bulnes, founded in 1843 to strengthen the sovereignty of Chile over the Straits of Magellan.

Fuerte Corral, esta fortaleza fue construida a partir de 1645 para proteger Valdivia.
Fort Corral is one of the fortifications which the Spanish started to build in 1645 to protect Valdivia.

Cerca de Angol,
el fuerte Purén
levantado en 1868.

*Near to Angol,
the Puren fort
built in 1868.*

Palacio de la Moneda, sede del Gobierno
y Palacio Presidencial, Santiago.

Palace of Moneda.
Seat of the government
and Presidential Palace, Santiago.

Antiguo Congreso
Nacional, Santiago.

The Ancient Congress
Building, Santiago.

Ministerio de Relaciones
Exteriores, Santiago.

Ministry of Foreign
Affairs, Santiago.

La industria forestal, basada en un recurso renovable, es la segunda generadora de divisas.

The forest industry is based on renewable resources and it is the second most important export product.

La mina de cobre Chuquicamata, cerca de Calama, es la mina a tajo abierto más grande del mundo.

The copper mine, Chuquicamata, near Calama, is the largest open-pit mine in the world.

La economía chilena depende principalmente de la extracción y exportación de recursos naturales. El sector minero es el más generador de divisas, siendo Chile el primer productor de cobre en el mundo.

Debido a un clima templado en la mayor parte del país, Chile produce una gran variedad de frutas. Su ubicación en el hemisferio sur le permite exportar a los países del norte cuando carecen de producción.

La presencia del mar es vital en la economía. Las aguas del Pacífico son generosas; sin embargo, en las últimas décadas la acuicultura es una de las actividades de mayor crecimiento. Actualmente se cultiva y exporta peces, crustáceos, moluscos y algas.

Chile tiene una tradición vitivinícola que se remonta a la época colonial. Único país exento del filoxera, Chile exporta sus vinos a los principales mercados internacionales.

The Chilean economy depends mainly on the exportation of natural resources. The mining sector is the biggest generator of foreign currency and Chile is the largest copper producer in the world. Due to a temperate climate in the greater part of the country, Chile produces a great variety of fruit. Chile is in the Southern Hemisphere which enables exportation to countries in the northern Hemisphere when they have no fruit.

The presence of the sea is vital to the economy. The waters of the Pacific Ocean are generous. In the last decades, aquiculture is one of the activities with the greatest economic growth.

At the present time, the cultivation and export of fish, crustaceans, mollusks and seaweed are important industries.

Chile has a wine culture that goes back to colonial times. It is the only country unaffected by phylloxera, and now Chilean wines are widely sold abroad.

Geografía / Geography

Desierto de Atacama.
Atacama Desert.

Alpacas en el Parque Nacional Lauca y volcán Parinacota (6.340 m).

Alpacas in the Lauca National Park with the Parinacota Volcano, 6,340 metres in the background.

Bahía Cisne, Caldera.
Cisne Bay, Caldera.

Valle del Cachapoal en la región de O'Higgins es uno de los principales productores de vinos de exportación.

Cachapoal Valley in the O'Higgins Region is one of the main producers of grapes for export.

Chile posee una geografía y un clima muy variados. Los contrastes de su suelo —altas cumbres nevadas, amplias llanuras fértiles, selvas y pampas, extensas playas y abruptos arrecifes, desiertos calurosos, hielos polares—, por la diversidad de sus gentes, de orígenes, lenguas, usos y costumbres, permitirían afirmar que el país es una verdadera síntesis de la Tierra, pero aunada en un cuerpo coherente, en una nación y en un sentimiento de patria.

Chile se encuentra ubicado en el extremo sudoeste de América, limitando con Perú al norte, con Bolivia y Argentina al este, con el Polo Sur en el extremo austral y con el Océano Pacífico al oeste.

Más de 4.000 kms. de largo que median entre Arica, la ciudad más septentrional, y Puerto Williams, el centro urbano más austral de Chile y el mundo, equivalen a la distancia existente entre Madrid y Moscú, Río de Janeiro y Panamá, San Francisco y Nueva York. Esa característica, junto con la presencia de la cordillera y del mar, hacen posible que existan zonas geográficas muy definidas; éstas indican la versatilidad del territorio, posibilitan todo tipo de climas y marcan los rasgos característicos de sus habitantes.

Faro Raper en la entrada del temible Golfo de Penas.
Lighthouse Raper at the entrance of the fearful Penas Gulf.

Chile's geography and climate are varied. The topographical contrasts —snowy mountain peaks, wide fertile plains, forests and "pampa", never-ending beaches and steep cliffs, baking-hot deserts and the polar ice-cap— and the diversity of its population, with their individual origins, tongues, habits and customs, are proof that the country is a veritable synthesis of all the elements on Earth, brought together in a coherent body in one country, in a nation with a unique patriotic spirit.

Chile is situated in the south-western corner of the South American continent and borders on Peru to the north, Bolivia and Argentina to the east, the South Pole to the south and the Pacific Ocean to the west.

The distance between Arica, Chile's northernmost city, and Puerto Williams, the southernmost city in the world, is 4,000 kms, which is the distance between Madrid and Moscow, Rio de Janeiro and Panama, or San Francisco and New York. Chile's extraordinary length and her proximity to the sea and the Andes are responsible for very distinct and varied geographical regions that reflect the country's versatility, give rise to all types of climate and account for the regional characteristics of its inhabitants.

Cerro San Valentín, Región de Aisén del General Carlos Ibáñez del Campo.
San Valentin Hill, Aisen Region.

Desembocadura del río Itata, Región del Biobío.

Mouth of the Itata River, Biobio Region.

Salto del Río Claro, Pucón,
Región de la Araucanía.

*Rio Claro Falls, Pucon,
Araucania Region.*

Valle de La Luna, Desierto de Atacama,
Región de Antofagasta.

*Valley of the Moon, Atacama Desert,
Antofagasta Region.*

Arica, ciudad de la eterna primavera,
capital de la Región de Arica y Parinacota.

Arica, the city of eternal spring.
capital of the Arica and Parinacota Region.

Iquique, capital de la Región de Tarapacá.
Iquique, capital of the Tarapaca Region.

Iquique, ventana en la calle Baquedano
que recuerda la época dorada del salitre.

A window in Baquedano Street, Iquique
which recalls the golden age of saltpeter.

El Norte Grande, presenta una conformación geográfica desértica de clima seco y árido, y con una fluctuación térmica muy drástica entre el día y la noche. De muy baja densidad poblacional, las ciudades y pueblos se ubican en la costa, como Arica, Iquique, Antofagasta; cerca de los grandes yacimientos mineros, Calama, por ejemplo; en los oasis del desierto, Azapa, San Pedro de Atacama y en las proximidades de los lagos y lagunas del Altiplano, como Parinacota.

"Norte Grande" has the geographical characteristics of a desert, with a dry, arid climate and extreme night and day temperatures. It has few inhabitants per square kilometre and the main towns are found either on the coast (as in the case of Arica, Iquique and Antofagasta); close to the big mineral deposits (e.g. Calama); in the desert oases (Azapa, San Pedro de Atacama for example); and near the lakes and lagoons of the "Altiplano" (e.g. Parinacota).

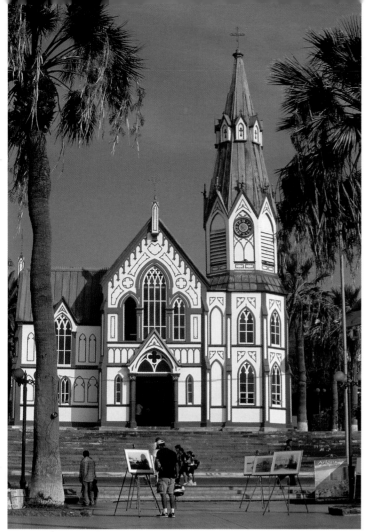

Iglesia San Marcos, actual catedral de Arica, construida en los talleres de Gustavo Eiffel.

San Marcos Church, the present cathedral of Arica, built in the Gustave Eiffel workshops.

Antofagasta, ciudad puerto y capital regional.

Antofagasta, Regional Capital and Port.

17

Costa Nortina, Región de Tarapacá.
Northern Coast, Tarapaca Region.

Parque Nacional Lauca, Región de Arica y Parinacota.
Lauca National Park, Arica and Parinacota Region.

El Norte Chico / The "Norte Chico"

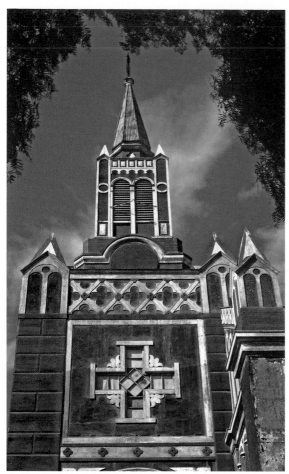

El Norte Chico o Zona de los Valles Transversales, entre los ríos Copiapó y Aconcagua, es un área de mayor vida vegetal y con un régimen de lluvias moderado. Los núcleos urbanos se ubican preferentemente en la costa, Caldera, La Serena, Coquimbo y Los Vilos y en el interior de los valles agrícolas y a orillas de ríos, Copiapó, Vicuña y Vallenar.

"Norte Chico", or the transversal valley region, situated between the River Copiapo and the River Aconcagua, has more vegetation and moderate rainfall. The urban centres are located mainly on the coast as Caldera, La Serena, Coquimbo and Los Vilos or in the fertile valleys or on the river-banks, Copiapo, Vicuña and Vallenar.

Copiapó, capital de la Región de Atacama.
Copiapó, capital of the Atacama Region.

Caldera, en la Región de Atacama.
Caldera, in the Atacama Region.

Coquimbo.

Gabriela Mistral, Premio Nobel de Literatura en 1945, nació en Vicuña.

Gabriela Mistral, winner of the Nobel Prize for Literature in 1945. She was born in Vicuña.

Playa de La Serena, capital de la Región de Coquimbo.
La Serena beach, capital of the Coquimbo Region.

La Serena.

Vicuña en el Valle del Elqui, valle fértil donde se cultiva la papaya chilena (*Vasconcellea pubescens*) y la viña que sirve principalmente para la producción de un aguardiente llamado "pisco".

Vicuña, in the fertile valley of Elqui where Chilean papayas are cultivated (Vasconcellea pubescens) and also grapes which mainly are used in the production of the alcoholic beverage, pisco.

Nevado Ojos del Salado. Con sus 6.893 metros de altura es la principal cumbre de Chile y a la vez el volcán más alto del mundo.

The snow-covered Ojos del Salado. At 6,893 meters. It is the highest peak in Chile and, also, the highest volcano in the world.

Nevados de Putre están formados por los cerros Ancoma y Tarapacá (5.775 m).

The Nevados de Putre were formed by the Ancoma and Tarapaca Mountains (5,775 metres).

Volcán Licancabur (5.916 m) frente al pueblo de San Pedro de Atacama.
Licancabur Volcano (5,916 metres) facing the town of San Pedro of Atacama.

Volcán Llullaillaco (6.739 m), considerado el sitio arqueológico más alto del planeta.
Llullaillaco Volcano (6,739 metres), considered to be the highest archaelogical site on our planet.

La Zona Central / *The Central Zone*

Desde el río Aconcagua hasta la cuenca del río Biobío, se encuentran los verdes y fértiles valles de la Zona Central. Sus características climáticas hacen posible la existencia de las cuatro estaciones: veranos cálidos, otoños templados, inviernos lluviosos y primaveras soleadas. Por las bondades del clima y el desarrollo económico existente en esta zona, se da la mayor concentración urbana y demográfica del país. Santiago, la capital de la República, cuenta con más de 5.000.000 de habitantes, siendo la ciudad más grande e importante del país. El puerto de Valparaíso y la ciudad-balneario de Viña del Mar, ambas de gran atractivo turístico, histórico y económico y unidas en la actualidad por el crecimiento urbano, albergan una población cercana a las 700.000 personas, en tanto Talcahuano, importante puerto y base naval, y Concepción, ciudad industrial, universitaria y de servicios, llegan a los 600.000 habitantes. Rancagua, centro urbano próximo a El Teniente, la mina de cobre subterránea más grande del mundo, sobrepasa las doscientos mil personas, siendo otra de las grandes ciudades del Valle Central.

From the River Aconcagua to the basin of the River Biobío, are the green fertile valleys of the Central Region. There, the climate is divided into four distinct seasons: hot summers, cool autumns, rainy winters and sunny springs. Owing to its mild climate and its economic development, the greatest concentration of population and urban centres are in this region. Santiago, the capital of the Republic, has more than 5,000,000 inhabitants and is the biggest and most important city in the country. The port of Valparaiso and the seaside resort of Viña del Mar have great historical and economic importance, as well as being tourists spots. They have both grown so much that they have virtually merged together and have a joint population of 700,000 inhabitants. Talcahuano, a major port and naval base, and Concepcion, an industrial, university and services city, have together at least 600,000 inhabitants. Rancagua, an urban centre situated near to "El Teniente", the largest underground copper mine in the world, has a population of more than 200,000 and is another major city in the Central Valley.

Casa Museo de Isla Negra, donde descansan los restos de Pablo Neruda, Premio Nobel de Literatura en 1971.

Isla Negra Museum, where the mortal remains of Pablo Neruda rest in peace. He was awarded with the Nobel Prize for Literature in 1971.

Viña del Mar, Palacio presidencial de Cerro Castillo, residencia de verano de los Presidentes de Chile.

Viña del Mar, Presidencial Palace of Cerro Castillo, and summer residence for the Chilean President.

Reloj de flores, Viña del Mar.
Flower clock, Viña del Mar.

Playa de Reñaca, Viña del Mar.
Reñaca Beach, Viña del Mar.

Valparaíso ha sido declarada Patrimonio de la Humanidad por la Unesco. Esta distinción se la debe a su arquitectura colorida y a sus ascensores que permiten acceder a sus cerros.

Valparaíso has been declared, a World Heritage by Unesco. This distinction is due to its colourful architecture and unique lifts which give access to its hills.

Vista de Valparaíso desde Paseo 21 de Mayo.

Valparaíso, view from the May 21st sidewalk.

Ascensor Polanco.
Polanco lift.

Ascensor Barón.
Baron lift.

Ascensor Espíritu Santo.
Espiritu Santo lift.

Virgen del Cerro San Cristóbal, Santiago.
Virgin of San Cristobal Hill, Santiago.

Vista de Santiago desde el Cerro San Cristóbal.
View of Santiago from San Cristobal Hill.

La Dehesa, barrio residencial de Santiago.
La Dehesa, residential district of Santiago.

La Catedral.
The Cathedral.

El Mercado Central.
The Central Market.

La Bolsa de Santiago.
Santiago Stock Exchange.

El Centro Cultural Estación Mapocho.
The Cultural Centre "Mapocho Station".

Cerro Huelén, hoy Cerro Santa Lucía, donde
Pedro de Valdivia fundó Santiago.

Santa Lucia Hill, formerly called Huelen Hill.
This is where Pedro de Valdivia founded
Santiago.

El Teatro Municipal.
The Municipal Theatre.

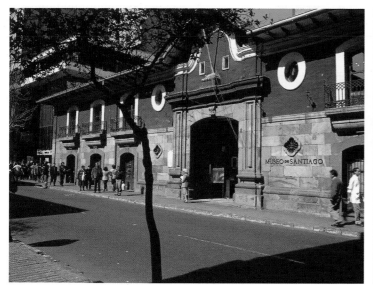

La Casa Colorada, actual Museo de Santiago.
The Casa Colorada is the home of the Santiago Museum.

La Universidad de Chile.
The University of Chile.

La Municipalidad de Santiago.
The Santiago Municipality.

Universidad Católica de Chile.
Catholic University of Chile.

Estación Central.
Central Station.

El Centro Cultural Palacio La Moneda, obra emblemática de la República en el siglo XXI, está situado frente a la Casa de Gobierno y bajo la explanada de la Plaza de la Ciudadanía.
El Centro Cultural Palacio La Moneda es un mega espacio en el cual convergen y dialogan las diversas expresiones artísticas y culturales, tanto nacionales como internacionales, fomentando la educación, la conservación y difusión del patrimonio cultural.

The cultural centre "Palacio La Moneda", a symbolic masterpiece of the Republic in the 21st Century, is located in front of Government House, below the esplanade in the Plaza de la Ciudadania (the Citizens Square).
This cultural centre is a mega space where the cultural and artistic expressions come together, both national and international, to encourage education, conservation and diffusion of cultural heritage.

El Museo de Bellas Artes.
The Fine Arts Museum.

El Museo Artequín, ubicado en frente al Parque de la Quinta Normal, ocupa el "Pabellón París" construido en Francia, en 1889, con el fin de representar a Chile en la Exposición Universal de París. Una vez terminada la exposición, el Pabellón fue desmontado y enviado a Chile. Hoy este museo propone incentivar la apreciación del arte y la creatividad de sus visitantes, en especial en el público de edad escolar.

The Artequin Museum, located in front of the Quinta Normal Park, is housed in the "Paris Pavilion" which was built specially to represent the country for the Paris Universal Exhibition in 1889. After the exhibition finished, the Pavilion was dismantled and transported to Chile.
Today this museum stimulates aprreciation of art and the creativity of its visitors, particularly the younger generation.

La Biblioteca de Santiago, ubicada en la calle Matucana, brinda un eficiente y moderno servicio de biblioteca pública a la comunidad de la Región Metropolitana, con nuevas tecnologías de información y comunicación.

Santiago Library, located in Matucana Street, offers an efficient and modern service to the Metropolitan community with the latest technologies related to information and communication.

La Biblioteca Nacional.
The National Library.

Plaza de Los Héroes de Rancagua, capital de la Región del Libertador General Bernardo O'Higgins.

"Plaza de Los Heroes" Square, Rancagua, capital of the Region, Liberator General Bernardo O'Higgins.

Talca, capital de la Región del Maule.

Talca, captital of the Maule Region.

La Zona Sur / *The Southern Zone*

Entre el río Biobío y el Canal de Chacao, se extiende la Zona sur, de clima templado cálido lluvioso. La temperatura anual es baja, y su régimen de lluvias es permanente. Región de vastas praderas, volcanes en actividad, grandes lagos y anchos ríos; los núcleos urbanos y la población se asientan en las orillas de éstos. Temuco, Valdivia, Osorno y Puerto Montt son las ciudades en las que se desarrolla la actividad económica, administrativa y de servicios de la región. En su interior se encuentran las maravillosas e impenetrables selvas de la Cordillera de Nahuelbuta y de los Andes, de gran riqueza ecológica.

The area between the River Biobio and the Chacao Channel is called the Southern Region and has a cool, temperate, rainy climate. The average yearly temperature is low, while the heavy rainfall is a permanent characteristic. It is a region with extensive grasslands, active volcanoes, huge lakes and wide rivers, along whose banks settlements were founded. Temuco, Valdivia, Osorno, Puerto Montt are the region's economic and services centres. In the hinterland of this region, are the marvellous, impenetrable forests of the Cordillera Nahuelbuta and of the Andes mountain chain, with its great ecological riches.

Universidad de Concepción, capital de la Región del Biobío.
University of Concepcion, capital of the Biobio Region.

Talcahuano, Región del BioBío.
Talcahuano, Biobio Region.

Temuco, capital de la región de la Araucanía.
Temuco, capital of the Araucanian Region.

Temuco, estatua de Caupolicán,
cacique Mapuche.

*Temuco, statue of Caupolican,
mapuche chieftain.*

Valdivia, capital de la
Región de Los Ríos.

*Valdivia, capital of the
"Los Rios" Region.*

Puerto Varas, ubicada a orillas del Lago Llanquihue.
Puerto Varas, located along the banks of Lake Llanquihue.

Puerto Montt, capital de la región de Los Lagos.
Puerto Montt, capital of the Los Lagos Region.

Lago Llanquihue, al fondo los volcanes Puntiagudo (5.493 m), Osorno (2.652 m) y Calbuco (2.015 m).
Llanquihue Lake, with the Puntiagudo (5,493 m), Osorno (2,652 m) and Calbuco (2,015 m) volcanoes in the backgound.

El Archipiélago de Chiloé se extiende desde el Canal de Chacao hasta el Golfo de Corcovado. Su isla principal es la Isla Grande de Chiloé que tiene 180 km de largo. Es la segunda isla más grande de Sudamérica después de Tierra del Fuego. En el año 2000, la Unesco declaró Patrimonio de la Humanidad a dieciséis iglesias más representativas de la escuela chilota de arquitectura religiosa en madera.

The Chiloe Archipelago extends from the Chacao Channel to the Corcovado Gulf. The main island is called the Isla Grande de Chiloe which is 180 kms. long. It is the second biggest island in South America after Tierra del Fuego. In the year 2000, sixteen churches, the most representative of the Chilota School of architecture in wood, have been declared World Heritage by Unesco.

Para cruzar el Canal de Chacao que separa el continente del archipiélago de Chiloé y comunicarse entre las islas, el transbordador es hasta hoy el más seguro medio de transporte.

To cross the Chacao Channel that separates Chiloe from the mainland and, also, to travel among the islands, the ferry is the most reliable and safest means of transport.

Costa pacífica del Archipiélago de Chiloé.
The Pacific coast of the Chiloe Archipelago.

Isla Quenac en el archipiélago de Chiloé.
Quenac Island in the Chiloe Archipelago.

Castro.

San Juan.

Ichuac.

Tenaún.

Quinchao.

Achao.

Colo.

Aldachildo.

Chelin.

Nercón.

Castro, capital de la provincia de Chiloé.
Castro, capital city of Chiloe Province.

Coyhaique, capital de la Región de Aisén del General Carlos Ibáñez del Campo.
Coyhaique, capital of the Aisen Region.

Desde la Isla Grande de Chiloé hasta las islas Diego Ramírez, al sur del Cabo de Hornos, se conforma la llamada Zona de los Canales o Austral. De costas desmembradas, esta región posee clima marítimo lluvioso en los canales y templado lluvioso hacia el interior del continente. De escasa concentración urbana, los asentamientos se ubican en la costa este de la isla de Chiloé, en los lagos fronterizos de la Patagonia y a orillas de canales y estrechos. Algunas de sus ciudades más importantes son Castro, Coyhaique y Punta Arenas. Las posibilidades económicas que ofrece su geografía y clima son la ganadería en la Patagonia y Tierra del Fuego, la agricultura en Chiloé y la pesca y la acuicultura en todo el litoral. Además de las zonas en que se divide Chile continental, están el Territorio Chileno Antártico y las islas esporádicas. El continente blanco tiene clima polar, con temperaturas que descienden bajo el cero grado centígrado, carece de vegetación y está cubierto permanentemente de hielo y nieve.

The area between the main island of Chiloe and Diego Ramirez islands, south of Cape Horn, is called the Channel or the Austral Region. With its jagged coastline, the Channel Region has a rainy, maritime climate, while inland it is mild and rainy. Population levels in this region are low and the settlements are found on the east coast of Chiloe Island, around the Patagonian lakes bordering on Argentina, and on the banks of the channels and straits. Castro, Coyhaique and Punta Arenas are three of its major cities. The geography and climate of this region lend themselves to the following economic activities: stockbreeding (Patagonia and Tierra del Fuego); agriculture (Chiloe); fishing (all along the coastline) and aquiculture.

In addition to these five major mainland regions, there is also Chilean territory in the Antarctic and several island territories. The Antarctic has a polar climate, with temperatures that fall well below 0° C.

Punta Arenas, el Monumento a Hernando de Magallanes.
Punta Arenas and the Monument to Ferdinand Magellan.

Punta Arenas, capital de la Región de Magallanes y de la Antártica Chilena.
Punta Arenas, capital of the Magallanes Region and Chilean Antarctica.

Piedra enclavada, obelisco de unos treinta metros, cerca de Chile Chico, Región de Aisén del General Carlos Ibáñez del Campo.

Embedded rock, an obelisk of approximately thirty metres, near to Chile Chico, Aisen del General Carlos Ibañez del Campo Region.

El Río Baker, el río más caudaloso de Chile, Región de Aisén del General Carlos Ibáñez del Campo.

The River Baker, the most plentiful river in Chile, Aisen del General Carlos Ibañez del Region

Isla Robinson Crusoe, archipiélago Juan Fernández.

Robinson Crusoe Island, archipelago Juan Fernandez.

En esta isla fue abandonado el marino escocés Alejandro Selkirk, cuya aventura inspiró al escritor británico Daniel Defoe para escribir su obra maestra, "Robinson Crusoe".

On this Island, the Scottish sailor Alexander Selkirk was abandoned. His exploits inspired the British writer Daniel Defoe to write his classic book "Robinson Crusoe".

El territorio continental chileno se abre al Océano Pacífico con miles de kilómetros de costas. En pleno océano, las islas chilenas destacan por su belleza, recursos naturales e interés histórico, como el archipiélago Juan Fernández y la Isla de Pascua, esta última a 3.760 kilómetros del continente.

Isla de Pascua es rica en sitios arqueológicos, encontrándose ahí los famosos moai, esculturas de piedra volcánica diseminadas en las laderas del volcán Rano-Kao y en las playas, así como los petroglifos y santuarios, que indican la presencia de una cultura misteriosa, cuya historia aun hoy es enigmática. La Isla de Pascua o Rapa Nui ha sido declarada Patrimonio de la Humanidad por la Unesco.

Isla de Pascua, cráter del volcán Rano Kau.
Easter Island, Crater of the Rano Kau volcano.

The Chilean mainland with its thousands of kilometres of coastline is washed by the Pacific Ocean. In this ocean we find Chilean-owned islands such as Juan Fernandez Archipelago and Easter Island, renowned for their beauty, natural resources and historical interest. Easter Island is 3,760 kilometres away from the Chilean mainland.

Easter Island is rich in archaelogical sites, with its famous "moai", sculpted out of volcanic rock and scattered on the slopes of the Rano-Kao volcano or on the beach; and petroglyphs and sanctuaries which indicate the presence of an enigmatic culture, whose origins are a mystery even today. Easter Island or Rapa Nui has been declared a World Heritage by Unesco.

Isla de Pascua, Aldea de Orongo, aledaña al volcán Rano Kau, centro de prácticas religiosas vinculadas al culto del hombre pájaro, tangata manu, y al dios Make Make.

Easter Island, the village of Orongo, adjoining the Rano Kau Volcano which is the centre of religious practises related to the cult of the bird man, Tangata Manu, and the God Make Make.

Los siete moai del Ahu Nau Nau cerca de la playa de Anakena.
The seven moai of Ahu Nau Nau on the Anakena Beach.

El Ahu Tongariki, el más grande de la isla y cuenta con 15 moai.
With its 15 moai, Ahu Tongariki is the biggest in the island.

Área ceremonial de Tahai con los cinco moai del Ahu Vai Uri y el solitario Ahu Tai.
Ceremonial Area of Tahai with its five moai of Ahu Vai Uri and the solitary Ahu Tai.

Pingüino Gentoo (*Pygoscelis papua*).
Gentoo Penguin (Pygoscelis papua).

Cóndor (*Vultur gryphus*).
Condor (Vultur gryphus).

Piquero (*Sula variegata*).
Pikeman (Peruvian booby) Sula variegata.

Pingüino Chinstrap (*Pygoscelis antarctica*).
Chinstrap Penguin (Pygoscelis antarctica).

Ñandú (*Rhea pennata pennata*).
Ñandu or American Ostrich (Rhea pennata pennata).

Tan variada como la geografía es su fauna. En el norte, flamencos, guanacos, vicuñas, llamas y alpacas. Más al sur, zorros, pumas, gatos montés, ciervos, ñandúes, pudús, lobos y elefantes marinos en las costas, pingüinos en la Antártica y todo tipo de aves, sobresaliendo el cóndor.

The fauna is as variable as the geography. In the north, there are flamingoes, vicunas, llamas and alpacas. Further south, foxes, pumas, wild cats, huemuls (stags), ñandus (ostriches), wolves and elephant seals along the coast, penguins in the Antarctic and every king of birds with the condor outstanding.

Flamencos.
Flamingo.

Ballena Jorobada (*Megaptera novaeangliae*), Parque Marino Francisco Coloane.

Humpback Whale (Megaptera novaeangliae), "Francisco Coloane" Marine Park.

Pelícano (*Pelecanus thagus*).
Pelican (Pelecanus thagus).

Cormorán (*Phalacrocorax bransfieldensis*).
Cormorant (Phalacrocorax bransfieldensis).

Huemul (*Hippocamelus bisulcus*).
Guemul (Hippocamelus bisulcus).

Zorro (*Dusicyon culpaeus*).
Chilean Fox (Dusicyon culpaeus).

Vizcacha (*Lagidium viscacia*).
Viscacha (Lagidium viscacia).

Llamas (*Lama glama*).
Llama (Lama glama).

Chinchilla (*Chinchilla lanigera*).
Chinchilla (Chinchilla lanigera).

Pudú (*Pudu pudu*).
Pudu (Pudu pudu).

Puma (*Felis concolor*).
Puma (Felis concolor).

Lobo de dos pelos (*Artocephalus australis*).
South American fur seal (Artocephalus australis).

Guanaco (*Lama guanicoe*).
Guanaco (Lama guanicoe).

La flora / *The flora*

Garra de León (*Leontochir ovallei*).
Garra de Leon (Leontochir ovallei).

Copihue (*Lapageria rosea*).
Copihue (Lapageria rosea).

Desierto florido.
Flowered desert.

Llareta (*Azorella compacta*).
Llareta (Azorella compacta).

54

La flora también está condicionada por los factores climáticos; en el norte, crecen quínoas y cactáceos y en la cordillera de los Andes, la llareta. Arbustos y matorrales van creciendo hacia el sur, destacando el copihue, la flor nacional, y las grandes especies arbóreas, como el ciprés de Las Guaitecas, el alerce y principalmente la araucaria.

The flora is conditioned by climatic conditions. In the north there are quinoa and cactus trees, while the llareta yareta can be found in the Andes. Bushes and underbrush grow towards the south, particularly the copihue, the national flower, and the wide variety of trees such as the cypress larch and the attractive monkey puzzle trees.

Alerces (*Fitzroya cupressoides*).
Larches (Fitzroya cupressoides).

Cactus Cardón (*Echinopsis atacamensis*).
Cactus Cardon (Echinopsis atacamensis).

Lenga (*Nothofagus pumilio*).
Lenga (Nothofagus pumilio).

Palma chilena (*Jubaea chilensis*).
Chilean Palm (Jubaea chilensis).

Araucaria
(*Araucaria araucana*).

Monkey puzzle tree.
(Araucaria araucana).

Mujer pascuense.
Easter Island woman.

hile presenta características étnicas bastante definidas, en las que predomina el aporte español y el indígena, influido además por su territorio y por un proceso histórico de migraciones de diversos orígenes, tales como alemanes, árabes, israelíes, croatas, italianos, franceses y suizos, principalmente. Todos estos elementos han contribuido a la formación de una cultura y un carácter del chileno bastante peculiar, donde podemos distinguir elementos comunes y otros singulares de acuerdo con factores como la ubicación dentro del territorio, o actividades comerciales.

Sin embargo, pese a la generalidad del chileno, subsisten subgrupos étnicos de un marcado origen precolombino. De ellos el más representativo es el pueblo mapuche, calculado en más de un millón de personas; los que mantienen sus tradiciones culturales, religiosas e idiomáticas más o menos puras. Otros subgrupos, pero en cantidades mínimas, son los aimaras y quechuas que habitan la zona norte, los pascuenses que viven en Isla de Pascua.

The Chileans possess ethnic characteristics quite clearly defined. The Spanish and indigenous influences predominate, but successive waves of immigrants, mainly Germans, Arabs, Jews, Croatians, Italians, French and Swiss, have also helped to mould the Chilean character. All have combined to form a culture quite unique with many elements in common and others more individualistic according to domicile or commercial activities.

However, in spite of this generalized view of the Chilean, there are still ethnic groups to be found whose origin is markedly pre-Columbian. The most numerous of these are the Mapuches and their total number is slightly over one million. These maintain their traditional cultures, religion and language, virtually in a pure state. Other groups, not so numerous, include the Aymaras and Quechuas and the Pascuenses who live on Easter Island.

Joven Aimara.
Young Aymara.

Mujer Mapuche.
Mapuche Indian woman.

Medialuna donde se corre el rodeo chileno.
Half-Moon Arena, ideal for the Chilean Rodeo.

Los trajes típicos, fiestas, modo de hablar, tradiciones, artesanía y comida popular son diferentes en las distintas zonas que conforman Chile. Las más conocidas y populares fiestas son las del campo: el rodeo, la trilla y la vendimia, donde se puede observar el riquísimo colorido de los trajes huasos, de origen español, así como la música, ejecutada con guitarrones y arpas y acompañada con las palmas de las manos.

Typical dress, music, festivities, idioms, traditions, handicrafts and food differ, according to the various regions of the country. The most famous, popular festivities are those in rural areas – the rodeo, the "trilla" and the grape harvest. On those occasions, the richly coloured costumes of Spanish origin are very much in evidence and they are livened up by "guitarron" and harp music, played in time with clapping hands.

La trilla.

Andacollo.

Fiesta de Cuasimodo.
The Feast of Quasimodo.

La Tirana.

Chile, un país profundamente cristiano, les asigna gran importancia a las fiestas religiosas y a las procesiones, que se celebran en distintos pueblos o ciudades a lo largo del país, concitando la atracción de miles de creyentes. La Tirana, Andacollo, San Sebastián de Yumbel, la Fiesta de Cuasimodo y las procesiones náuticas de los pescadores en las caletas y puertos, son importantes por el carácter folclórico y tradicional que preservan y por su colorido y patrimonio cultural.

En el Altiplano, se bailan las diabladas o los trotes, al son de zampoñas, quenas y charangos; en el Valle Central, la cueca, el baile nacional, y la tonada melódica, al son de la guitarra; en el Sur, el vals y la cueca chilota, acompañadas además por instrumentos incorporados, como violines y acordeones. La Zona Sur ofrece además toda la riqueza tradicional del pueblo mapuche, con sus festividades propias, donde sobresalen los adornos de plata y las mantas o ponchos. La música mapuche, con un ritmo y melodía muy peculiares, es ejecutada por el kultrún, tambor, y por la trutruca, instrumento de viento confeccionado con una larga caña de bambú o quila y un cuerno de toro en su extremo.

Chile is a profoundly Christian country and attributes great importance to religious festivities and processions, carried out in towns and cities throughout the land, and attracting the faithful in great numbers. The best known are La Tirana, Andacollo, San Sebastian de Yumbel, the Feast of Quasimodo and the boat processions organized by fishermen in bays and ports. They are important for being part of national folklore and tradition and for their colour and wealth of cultural heritage.

In the Altiplano they dance "diabladas" or "trotes", to the sound of "zampoñas" (shepherd's pipes), quenas (rustic flutes) and "charangos" (small, five-stringed guitars); in the Central Valley region they dance the "cueca", Chile's national dance, and the "tonada melodica", to the sound of the guitar; in the south, it is the waltz and the "cueca" —the Chilote version, this time— to the accompaniment of additional instruments such as the violin and the accordion. The Southern region has the added attraction of the Mapuche culture, with its wealth of tradition and its own particular festivities which are characterized by the silver adornments, blankets and ponchos worn by them. Mapuche music has its own particular rhythm and melody and is played on the "kultrun", the drum or the "trutruca", a wind instrument made out of a long piece of bamboo or "quila", with a bull's horn at the end of it.

San Pedro de Atacama.

La cueca, el baile nacional.
"La cueca", the Chilean national dance.

Fiesta en pueblos altiplánicos.
A party in a high-plateau community.

Mujer Mapuche tocando kultrún.

Mapuche woman beating a Mapuche drum, called the Kultrun.

Ceremonia pascuense durante la fiesta Tapati Rapa Nui.

Ceremonial Easter islanders during the traditional Tapati Rapa Nui celebration.

Payadores.
Minstrels.

Turismo / Tourism

Parapente cerca de Antofagasta.

Paragliding near Antofagasta.

Escalada en Hielo en el Glaciar El Morado.

Climbing over ice on the Morado Glacier.

Rafting en el Río
Trancura.

*Rafting on the
River Trancura.*

Windsurf en
Matanzas.

*Windsurfing in
Matanzas.*

Pesca a la mosca en la región de Aysén.
Fly-fishing in a river near Aysen.

Chile es un país de contrastes con montaña, mar, desierto, lagos, ríos, islas y territorio antártico, a eso se suma el privilegio de tener cuatro estaciones, con lo cual ofrece una gran variedad de actividades turísticas y deportes de aventura todo el año.

En este país, según la temporada, se puede prácticar andinismo, esquí, trekking, mountain bike, surfing, velerismo, rafting, parapente y pesca deportiva.

La red de parques y reservas nacionales, manejada por la Corporación Nacional Forestal (Conaf), permite un acercamiento a la naturaleza en condiciones seguras a lo largo de todo el país.

Por otra parte, el Sendero de Chile, proyecto relacionado al bicentenario de la nación (2010) y coordinado por la Comisión Nacional del Medio Ambiente (Conama) pretende vicular a los chilenos y extranjeros con la diversidad natural y cultural de Chile. Tendrá una extensión de 8.500 km desde el altiplano en el norte hasta la pampa patagónica en el sur y con proyección en los territorios insulares, Isla de Pascua, Archipiélago de Juan Fernández y la Isla Grande de Chiloé.

Chile is a country of contrasts with mountains, sea, desert, lakes, rivers, islands and Antarctic territory. It also has four distinct seasons which help to offer a wide variety of tourist activities and adventure sports all the year round.

In this country, according to the season, one may practise climbing in the Andes, skiing, trecking, mountain bike, surfing, sailing, rafting, and fly fishing.

The network of parks and national reserves managed by the National Forestal Corporation (Conaf) allows everyone to come closer to nature with safety throughout the country.

On the other hand, the "Sendero de Chile" (Footpaths) is planning projects related to the bicentenary of the country in 2010, co-ordinated by the National Commission for the environment which will endeavour to bring Chileans and foreigners closer together with the natural diversity and culture of the country. It will have a size of 8,500 kilometres, from the higt plateau in the north towards the Patagonian Pampas in the south and also with projections to insular territories such as Easter Island, the Juan Fernandez Archipelago and Chiloe Island.

Vela en La Serena.
Regatta in La Serena.

Crucero en Valparaíso.
Cruising in Valparaiso.

Playa Blanca.

Zapallar.

Playa de Algarrobo.
The Algarrobo Beach.

Parque Nacional Pan de Azúcar.
Pan de Azucar National Park.

Pichilemu.

Portillo.

Volcán Lonquimay.
Lonquimay Volcano.

El clima agradable de la cordillera en verano y primavera y nevado en invierno, atrae al deportista y al turista. Excelentes canchas de esquí ubicadas en la cordillera central y sur, como Portillo, Farellones, El Colorado, La Parva, Valle Nevado, Chillán y otros lugares de la montaña, gozan de fama internacional.

The mountains attract climbers and nature lovers in the spring and summer months and ski enthusiasts take over in the autumn and the winter to fill the international ski resorts of Portillo, El Colorado, Farellones, La Parva, Valle Nevado and Chillan, and other places on the mountain, which enjoy international fame.

Ascensión del volcán Parinacota.
Ascending the Parinacota Volcano.

La Parva.

Valle Nevado.

Laguna Miñiques.
Miñiques Lagoon.

"Los Moai" de Tara.
"The Moai" of Tara.

El desierto de Atacama, considerado el más árido del mundo, permite combinar el turismo de aventura y acercarse a culturas milenarias.

The Atacama Desert is considered to be the driest in the world which allows for both adventure tourism and to approach millenary cultures.

Valle del Arco Iris.
Arco Iris (Rainbow) Valley.

Salar de Carcote y volcán Ollagüe.
The Carcote Salt deposit and the Ollague Volcano.

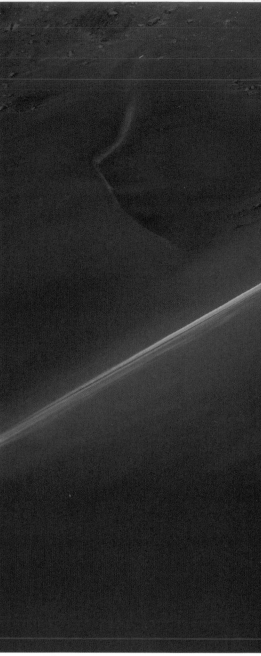

Cordillera de la Sal, Desierto de Atacama.
The Salt Mountain Range, Atacama Desert.

Géiseres del Tatio.
Tatio Geysers.

Salar de Atacama.
Atacama Salt Flats.

Portada de Antofagasta.
The Antofagasta Portal.

Penitentes, Puna de Atacama.
Puna de Atacama, show formations called "Penitentes".

Salar de Maricunga.
The Maricunga Salt Deposit.

Laguna Verde.
Green Lake.

Laguna del Negro Francisco.
Negro Francisco Lagoon.

Observatorio El Tololo. Los cielos del norte de Chile son conocidos por su limpieza.

El Tololo Observatory. The skies of northern Chile are known for their cleanliness.

Parque Nacional Fray Jorge.
Fray Jorge National Park.

Parque Nacional Hornopirén.
Hornopiren National Park.

El sur es verde y agua. En medio de los bosques de alerces, araucarias, lengas y otras especies nativas aparecen ríos, lagos, saltos y cascadas.

The south is green with heavy rainfall. In the midst of forests of larches, araucaria, lengas and other native species appear rivers, lakes, lagoons and waterfalls.

Radal Siete Tazas.

Salto del Laja.
The Laja Waterfall.

Salto del Huilo Huilo.
Huilo Huilo Falls.

Saltos de Petrohué y volcán Osorno.
Petrohue Waterfalls and the Osorno Volcano.

Volcán Lonquimay.
Lonquimay Volcano.

Cráter Navidad, volcán Lonquimay.
Navidad Crater, Lonquimay Volcano.

Volcán Puntiagudo.
Puntiagudo Volcano.

Pucón, lago y volcán Villarrica.
Pucon, Villarrica Lake and Volcano.

Lago Yelcho.
Lake Yelcho.

Lago Conguillío.
Lake Conguillio.

Ventisquero Colgante en el Parque Nacional Queulat.
Hanging Glacier in the Queulat National Park.

La Carretera Austral que empieza en Puerto Montt en la Región de Los Lagos para terminar en Villa O'Higgins en la Región de Aysén, cerca del Campo de Hielo Sur, permite conocer el norte de la Patagonia y sus glaciares, ríos y lagos. Esta región se ha convertido en un área privilegiada para los deportes de aventura y la pesca a la mosca.

The southern road from Puerto Montt in the Region of the Lakes to Villa O'Higgins in the Aysen Region, near to the Southern icefield allows access to the North of Patagonia and its glaciers, rivers and lakes. This region has been converted into a privileged area for outdoor adventure sports and fly-fishing.

La Catedral de Mármol, Lago General Carrera.
The Marble Cathedral, Lake General Carrera.

Carretera Austral.
Southern Road.

Glaciar Pío XI.
Pio XI Glacier.

El Parque Nacional Torres del Paine es parte de la red mundial de Reservas de la Biosfera.

The Torres del Paine National Park is part of the world network of Biosphere Reserves.

Las Torres.
The Towers.

El Valle del Francés.
French Valley.

Los Cuernos del Paine y el lago Pehoé.
The Horns of Paine and Lake Pehoe.

Glaciar Grey,
que forma parte de
Campos de Hielo Sur.

*The Grey Glacier which
forms a part of the
Southern Ice Fields.*

El caudaloso Río Pingo.

The abundant River Pingo.

Punta Dungeness, entrada oriental al Estrecho de Magallanes, del lado del Océano Atlántico.

Punta Dungeness, eastern entrance to the Straits of Magellan, the Atlantic Ocean facing.

La Cruz de los Mares, en el Cabo Froward, extremo austral del continente americano.

The Cross of the Seas, in Cape Froward at the southern extreme of the American Continent.

Faro Evangelistas, en la boca occidental del Estrecho de Magallanes.

The Evangelistas Lighthouse in the western mouth of the Magellan Strait.

El Estrecho de Magallanes, que une el Océano Atlántico al Océano Pacífico, fue descubierto el 1º de noviembre de 1520 por el marino portugués Hernando de Magallanes.

The Straits of Magellan which link the Atlantic and Pacific Oceans, was discovered by the Portugese sailor Ferdinand Magellan, on November 1, 1520.

Faro Espíritu Santo, ubicado en Tierra del Fuego en la boca oriental del Estrecho de Magallanes.

Espiritu Santo Lighthouse, located in Tierra del Fuego at the eastern mouth of the Straits of Magellan.

El mítico Cabo de Hornos.
The Mythical Cape Horn.

Rompehielos "Óscar Viel" de la
Armada de Chile, en la bahía de
la Isla Decepción, Antártica.

*Ice-breaker, "Oscar Viel", of the
Chilean Navy, in the bay of
Decepcion Island, Antarctica.*

Base Antártica
"Bernardo O'Higgins".

*Bernardo O'Higgins
Antarctic Base.*

Pingüino Adelie (*Pygoscelis adeliae*).
Adelie Pinguin. (Pygoscelis adeliae).

Base Antártica "Presidente Eduardo Frei Montalva".
President Eduardo Frei Montalva Antarctic Base.

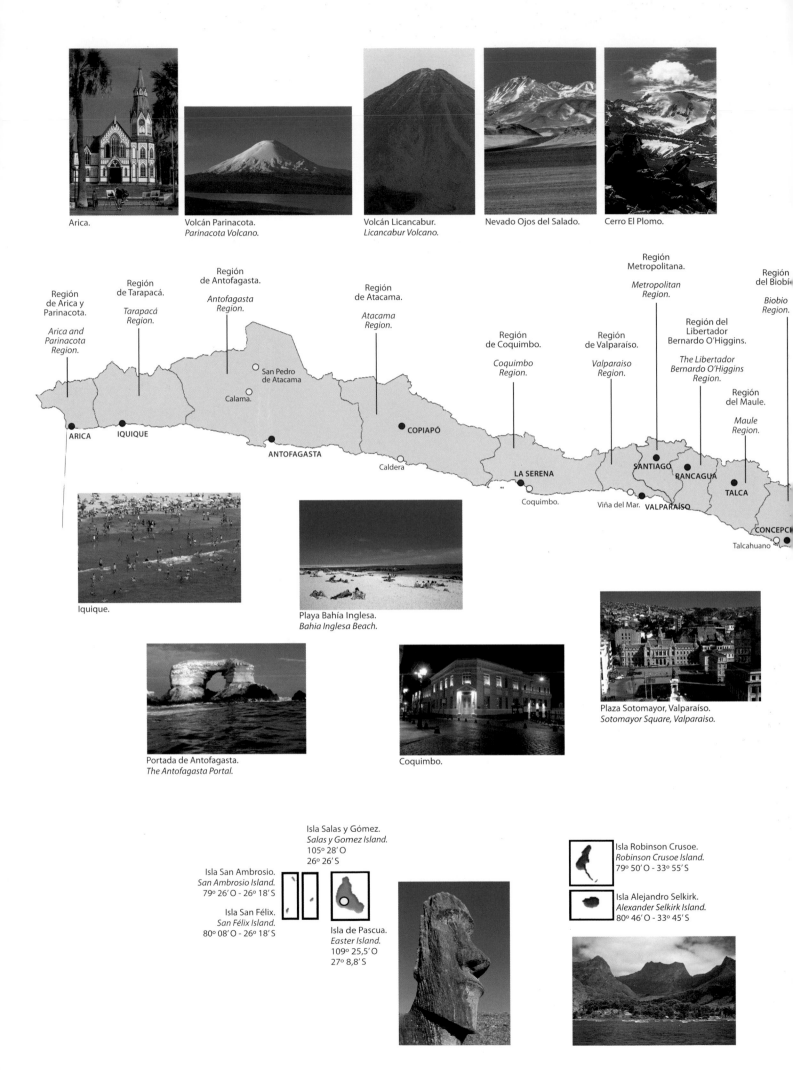

Arica.

Volcán Parinacota.
Parinacota Volcano.

Volcán Licancabur.
Licancabur Volcano.

Nevado Ojos del Salado.

Cerro El Plomo.

Región
de Arica y
Parinacota.

*Arica and
Parinacota
Region.*

Región
de Tarapacá.

*Tarapacá
Region.*

Región
de Antofagasta.

*Antofagasta
Region.*

Región
de Atacama.

*Atacama
Region.*

Región
Metropolitana.

*Metropolitan
Region.*

Región
del Biobí

*Biobio
Region.*

Región
de Coquimbo.

*Coquimbo
Region.*

Región
de Valparaíso.

*Valparaiso
Region.*

Región del
Libertador
Bernardo O'Higgins.

*The Libertador
Bernardo O'Higgins
Region.*

Región
del Maule.

*Maule
Region.*

San Pedro
de Atacama

Calama.

ARICA

IQUIQUE

ANTOFAGASTA

COPIAPÓ

Caldera

LA SERENA

Coquimbo.

Viña del Mar.

SANTIAGO

RANCAGUA

VALPARAÍSO

TALCA

CONCEPCI

Talcahuano

Iquique.

Playa Bahía Inglesa.
Bahia Inglesa Beach.

Portada de Antofagasta.
The Antofagasta Portal.

Coquimbo.

Plaza Sotomayor, Valparaíso.
Sotomayor Square, Valparaíso.

Isla Salas y Gómez.
Salas y Gomez Island.
105º 28' O
26º 26' S

Isla San Ambrosio.
San Ambrosio Island.
79º 26' O - 26º 18' S

Isla San Félix.
San Félix Island.
80º 08' O - 26º 18' S

Isla de Pascua.
Easter Island.
109º 25,5' O
27º 8,8' S

Isla Robinson Crusoe.
Robinson Crusoe Island.
79º 50' O - 33º 55' S

Isla Alejandro Selkirk.
Alexander Selkirk Island.
80º 46' O - 33º 45' S

Volcán Llaima.
Llaima Volcano.

Volcán Osorno.
Osorno Volcano.

Volcán Puntiagudo.
Puntiagudo Volcano.

Glaciar Pío XI.
Pio XI Glacier.

Torres del Paine.

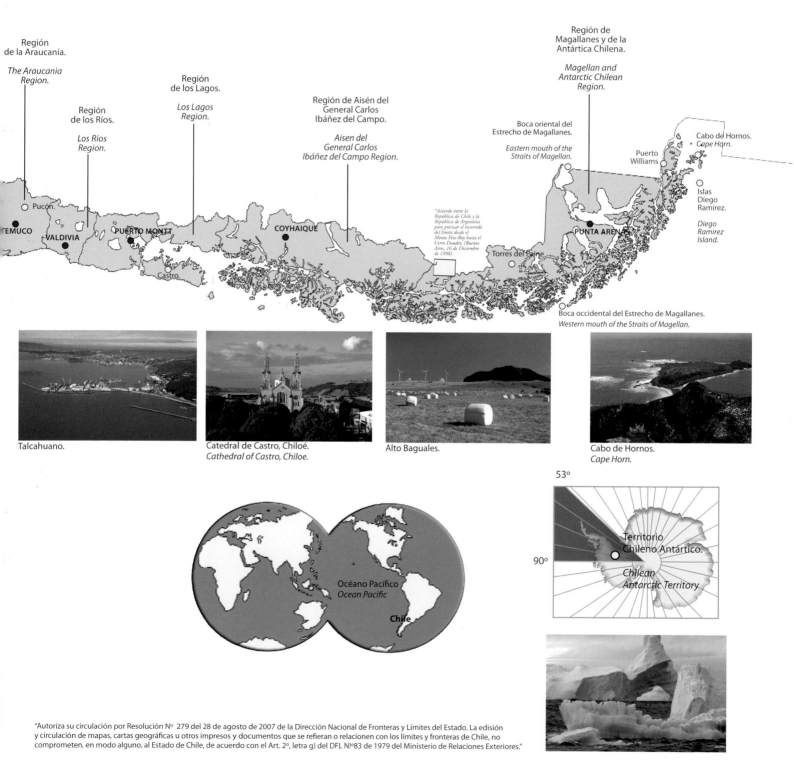

Región
de la Araucanía.

*The Araucania
Region.*

Región
de los Ríos.

*Los Rios
Region.*

Región
de los Lagos.

*Los Lagos
Region.*

Región de Aisén del
General Carlos
Ibáñez del Campo.

*Aisen del
General Carlos
Ibáñez del Campo Region.*

Región de
Magallanes y de la
Antártica Chilena.

*Magellan and
Antarctic Chilean
Region.*

Boca oriental del
Estrecho de Magallanes.

*Eastern mouth of the
Straits of Magellan.*

Cabo de Hornos.
Cape Horn.

Puerto
Williams

Islas
Diego
Ramírez.

*Diego
Ramirez
Island.*

Pucón.

TEMUCO

VALDIVIA

PUERTO MONTT

Castro.

COYHAIQUE

PUNTA ARENAS

*Acuerdo entre la
República de Chile y la
República de Argentina
para precisar el recorrido
del límite desde el
Monte Fitz-Roy hasta el
Cerro Daudet. (Buenos
Aires, 16 de Diciembre
de 1998).*

Torres del Paine.

Boca occidental del Estrecho de Magallanes.
Western mouth of the Straits of Magellan.

Talcahuano.

Catedral de Castro, Chiloé.
Cathedral of Castro, Chiloe.

Alto Baguales.

Cabo de Hornos.
Cape Horn.

Océano Pacífico
Ocean Pacific

Chile

53°

90°

Territorio
Chileno Antártico.

*Chilean
Antarctic Territory*

Chile Internet

www.gobierno.cl (Español/English)
⌐ Sitio oficial del gobierno chileno con numerosos enlaces a sitios de interés.
⌗ *Oficial site of the Chilean government with numerous links to useful web sites.*

www.minrel.cl (Español)
⌐ Sitio del Ministerio de Relaciones Exteriores, con numerosos enlaces, incluyendo los demás ministerios.
⌗ *Site of the Foreign Ministry with numerous links, including the other ministries.*

www.prochile.cl (Español)
⌐ ProChile es una agencia que depende del Ministerio de Relaciones Exteriores, encargada de fomentar las exportaciones chilenas.
⌗ *Prochile is an agency, managed by the Foreign ministry to promote Chilean exports.*

www.chileinfo.com (English)
⌐ Información de ProChile en inglés.
⌗ *Information about ProChile in English.*

www.dicoex.net (Español)
⌐ Organismo que depende del Ministerio de Relaciones Exteriores, encargado de los chilenos que viven en el exterior.
⌗ *Institution managed by the Foreign Ministry in charge of Chileans who live abroad.*

www.munitel.cl (Español)
⌐ Sitio de la Asociación de las Municipalidades de Chile. Enlaces a las principales ciudades de Chile que le permitirá hacer un recorrido por todo Chile.
⌗ *The site of the municipalities in Chile with links to all main cities which will allow one to make a trip throughout Chile.*

www.sernatur.cl (Español)
⌐ Servicio Nacional de Turismo.
⌗ *National Tourism Service.*

www.visitchile.org (Español/English/Français)
⌐ Corporación de Promoción Turística (CPT) que agrupa empresas ligadas al turismo. Información completa para programar su próximo viaje a Chile.
⌗ *The Tourism Promotion Corporation (CPT) which groups companies linked to tourism. The right place to prepare your next trip to Chile.*

www.cpc.cl (Español/English)
⌐ La Confederación de la Producción y del Comercio, agrupa a las diferentes asociaciones de los principales sectores productivos de Chile.
⌗ *The Confederation of Production and Commerce groups the various associations of the main Chilean productive sectors.*

www.elmercurio.cl
⌐ Prensa
⌗ *Press*

www.copesa.cl
⌐ Prensa
⌗ *Press*

www.conaf.cl (Español)
⌐ La Corporación Nacional Forestal tiene a su cargo todas las áreas silvestres. En este sitio encontrará toda la información sobre los Parques Nacionales y Reservas Nacionales y los Monumentos Naturales.
⌗ *The National Forestry Corporation (CONAF) is responsible for all the wild areas. In this site, you will find all information related to National Parks, National Reserves and Natural Monuments.*

GOBIERNO DE CHILE
CONAF

www.editorialkactus.cl

Chile

Editado por **Sipimex-Editorial Kactus**. La Concepción 65, Of. 304, Providencia, Santiago, Chile, red@kactus.cl
Editor: **Dominique Verhasselt Puppinck**. Diseño y Producción Digital: **Jaime Alegría G., Víctor Toro A., Cristián Richardson H.**
Fotografías: **Kactusfoto.cl, Armando Araneda, Juan Pablo Lira, Eugenio Hughes, Haroldo Horta, Guy Wenborne, Gastón Oyarzún, Ariosto Herrera, Alfredo Escobar, Patricio Cáceres, François Lochon, Saturnino Ramos, Stefan Bartulin, Carlos Choque, Pascale Verhasselt.**
Preprensa Digital: **Sipimex-Editorial Kactus**. Impreso en Chile por Quebecor World Chile.
Copyright© Sipimex-Editorial Kactus. Registro de Propiedad Intelectual: Inscripción **Nº 165.903**   **ISBN: 978-956-7136-56-8**